BATMAN '89

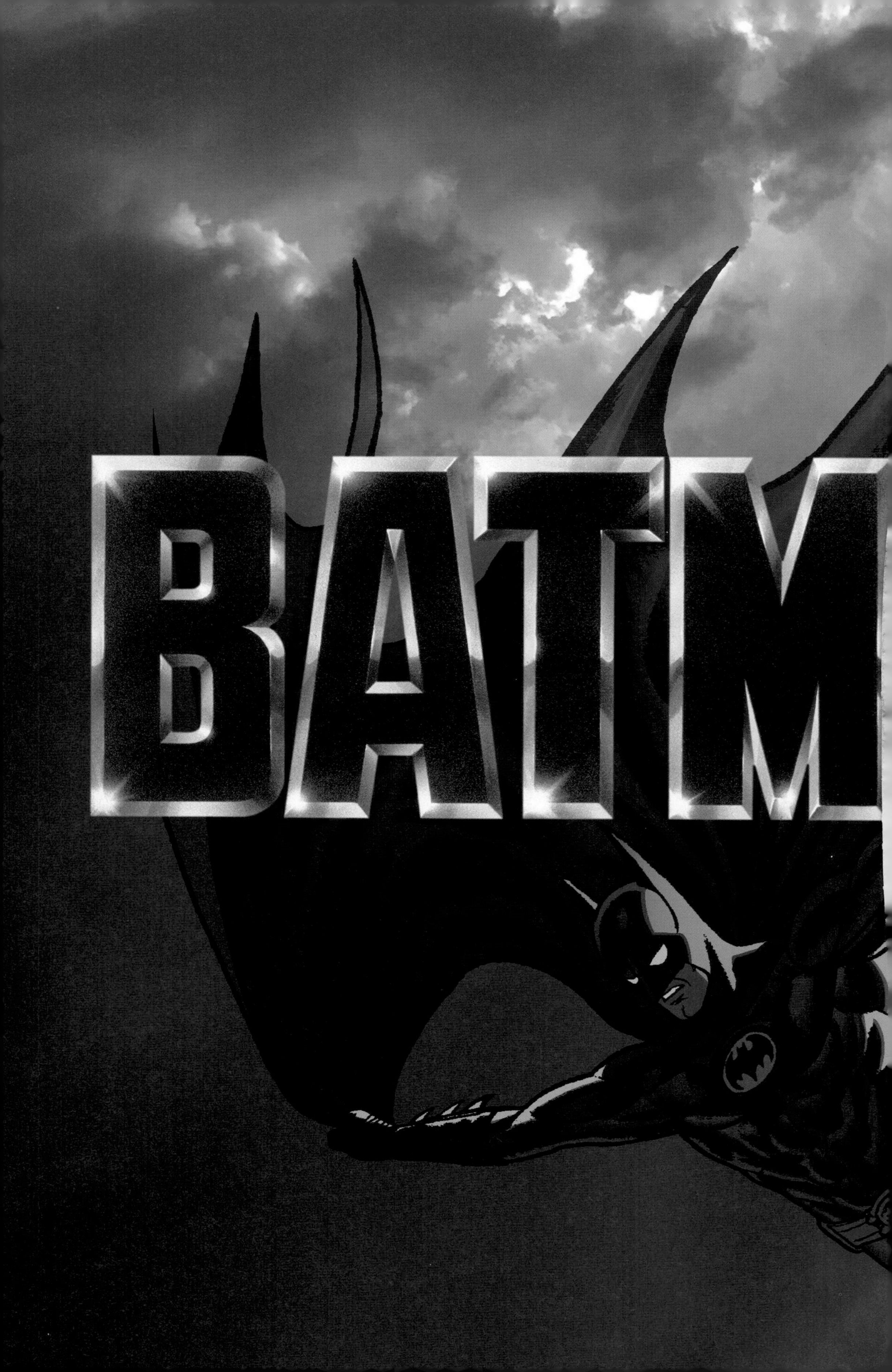
BATM

SAM HAMM WRITER

JOE QUINONES ARTIST

LEONARDO ITO COLORIST

CLAYTON COWLES LETTERER

JOE QUINONES COLLECTION COVER ARTIST

BATMAN CREATED BY **BOB KANE** WITH **BILL FINGER**

배트맨 '89

초판 1쇄 인쇄일 | 2023년 6월 15일
초판 1쇄 발행일 | 2023년 6월 25일

글 | Sam Hamm **그림** | Joe Quinones · Leonardo Ito
옮긴이 | 전인표

발행인 | 윤호권 **사업총괄** | 정유한 **편집** | 백소용 **마케팅** | 정재영
발행처 | (주)시공사 **출판등록** | 1989년 5월 10일(제3–248호)
주소 | 서울 성동구 상원1길 22 6–8층(우편번호 04779)
전화 | (02)2046–2800 **팩스** | (02)585–1755 **홈페이지** | www.sigongsa.com

ISBN 979–11–6925–831–9 07840
ISBN 978–89–527–7352–4(set)

＊시공사는 시공간을 넘는 무한한 콘텐츠 세상을 만듭니다.
＊시공사는 더 나은 내일을 함께 만들 여러분의 소중한 의견을 기다립니다.
＊잘못 만들어진 책은 구입하신 곳에서 바꾸어 드립니다.

CHAPTER ONE SAM HAMM writer JOE QUINONES artist & cover LEONARDO ITO colorist
CLAYTON COWLES letterer JERRY ORDWAY and STEVE OLIFF variant cover JOE QUINONES 1:25 design variant
ANDREW MARINO and ANDY KHOURI editors BATMAN created by BOB KANE with BILL FINGER

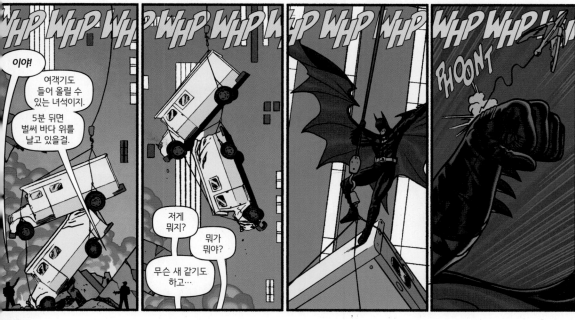

경찰이다.
이 지역은 봉쇄되었다.
도주 시도는
무의미하다.

주방위군?!
그래, 뭐 어때? 우린 이미 전국적인
웃음거리인데!

고담시.
사시사철 괴물 쇼가
펼쳐지는 곳.
고든은 어디 있지?

이봐,
멈춰--

하비!

댁이나 멈추시지, 부자 양반.

그 롤렉스부터 이리 내실까.

이봐, 진정해. 문제가 생기는 건--

--원치 않아.

끄아아아아!

CHUKK

쏘지 마세요, 선생님. 가방은 돌려드릴--

하. 이걸 어쩐다. 어떻게 해야 좋을지 모르겠네.

동전을 던져서 결정해야겠어.

앞면이면 죽고.

뒷면이면 사는 거야.

오, 하느님. 안 돼-- 선생님-- 제발--

어떻게 됐어?

DINGG

BLAM BLAM BLAM BLAM

하비!

총성이 들려서-- 난 당신이--

괜찮아. 겁 좀 준 것뿐이야.

하비. 자칫하면 죽을 수도 있었어.

가방은 새로 사면 그만이지만…

CLIK CLIK

…당신을 대신할 사람은 없단 말야.

외면해서 될 일이 아니야, 바바라. 모방 범죄자에, 모방 자경단에…

이제 이 거리엔…

…준법시민이 설 땅이 없어.

VRRRRRRRROOOOOOOOOOOM

좋은 아침입니다, 주인님. 커피 가져왔습니다.

아래층에 놔두신 수트는 수선이 불가능할 정도로 망가졌더군요. 다친 곳은 없으십니까?

내려가 계시면 준비해 드리겠습니다. 손님이 오셨어요.

괜찮아요. 좀 긁혔을 뿐이에요.

아침은요?

잘 잤어, 브루스? 이거 오전부터 미안하게 됐군. 보아하니 밤잠을 설친 모양인데.

나눠 줄 사탕이 모자랐거든. 어쩐 일이야?

짐 고든과 척을 져야 한다는 게 문제인데.

그 양반 딸내미랑 사귀는 사이 아니었어?

이젠 약혼한 사이지.

아하. 축하해.

그래서 원하는 게 뭔데?

브루스, 자네의 지원만 있으면…

…우리가 배트맨을 잡을 수 있어.

브루스, 우리 서로 신뢰하는 사이 맞지?

이 도시는 혼돈에 빠져 있어. 내게는 바로잡을 방법이-- 최소한 첫 삽이라도 뜰 방법이 있고. 하지만 그러려면 도움이 필요해.

증거물 보관소의 앤디가
전수 목록을 보내 줬어.

하지만
당신 사무실에서
독립 포렌식 분석 의뢰
공문을 보내야 해…

…이 장난감들을 가지고
놀려면 말야.

바바라 고든 경사

좋아, 산타클로스께서
뭘 흘리셨을까?

많지는 않아.
그자의 머슬카에서
어쩌다 떨어져 나온, 혹은 사출된
펜더 한 쌍이랑…

어, 이건 좀 흥미롭네….

부메랑과 표창의 중간쯤 되는
물건인데…

…컴퓨터
조준 시스템이 달려
있는 것 같아.

산타의 요정들한테 기똥찬 R&D 파트가
있는 모양이구만.

고마워, 내 사랑.
저녁에 봐.

세이프!

아웃!

세이프!

어떻게
생각해요,
오티스 씨?

베이스 밟은 지
일주일은 됐겠다.
세이프!

우와,
저 차 좀 봐!

오티스 씨!

지방검사 나리. 번사이드까지는 어쩐 일로 행차하셨나?

아, 정기 안전점검 좀 받을까 해서요.

차 멋지네요, 아저씨.

고마워, 배트맨. 한번 몰아 볼래?

좋죠. 그런데 저는… 이제 아홉 살인데요.

다들 차에 손만 대 봐.

조심해, 하비. 네 보물에 손때라도 묻으면 어쩌려고.

본보기가 되려는 거예요. 아이들도 스포츠 이외의 분야에서 성공한 흑인을 봐야죠--.

--최악의 경우인 마약 딜러도 있잖아요.

뭐가 그렇게 웃겨요?

이 동네 애들은 널 본 적도 없어.

다른 친구들을 사귀려고 이곳을 떠났잖아.

뿌리를 잊은 적은 없어요. 단 한순간도.

하지만 그들과 어울리려면 제 진짜 얼굴을 감춰야 해요. 옷, 차… 전부 변장에 불과해요.

정확히 뭐가 되려는 건데?

알잖아요, 제롬. 거물요.

동전 던진다, 하비.

앞면이면 넌 거물이 될 거고, 뒷면이면… 부랑자로 살게 될 거야.

골라!

앞면요?

앞면이다!

하. 거물!

한 번 더요. 또 해요!

넌 늘 앞면을 골랐고, 매번 이겼지.

동전을 보여 달라고 한 적도 없었어. 그렇게 순진한 꼬맹이는 살다 살다 처음 봤다니까.

순진했던 게 아니에요. 그저…

…당신을 믿었을 뿐이죠.

아직도 그래요.

입에 발린 소리는 그 정도면 됐어. 슬슬 본론으로 넘어가자고….

…아주 거창한 부탁을 하려는 모양인데.

고담시청.
그날 밤.

…고담 회중교회의 세실 컬프 목사님을 소개합니다.

저는 날마다 젊은이들-- 아이들이-- 이 간악한 무법자의 상징이 그려진 옷을 입은 모습을 봅니다.

우린 늘 우리 아이들에게 법을 지키라고, 존중하라고 가르칩니다.

그런데 정작 경찰청장이라는 자가 이 복면 쓴 자경단의 사적 제재를 종용하는 만행을 저지르고 있습니다.

법을 존중하라고 말하면서-- 뒤로는 범죄와 싸운다는 명목하에 범죄자의 손을 빌린 겁니다!

이에, 저는 이 자리를 빌어 고담시 의회에 요구하려 합니다….

…제임스 고든의 불신임 투표를!

하비-- 행동력 하나는 인정해야겠네요.

그가 쓴 연설문이 틀림없어요.

주인님? 잠시 와 보셔야 할 것 같습니다.

불럭답구만. 상어 같은 친구야. 피 냄새는 귀신처럼 맡지.

덴트에 대해서는 이미 알고 있었어. 브루스 웨인이 귀띔해 줬거든.

그 머저리가 내 딸하고 약혼을 했다는구만.

브루스 웨인이?

아니, 덴트 말야. 브루스 웨인이 말해 줬다고.

서에서도 여태 나만 몰랐던 모양이야.

전 괜찮습니다.

이봐. 난 곧 물러나게 될 거야. 우리가 쓰고 있는 채널도 아마 들통 났을 거고. 그러니 마지막으로 충고 한 마디만 하지….

딸하고 대화를 별로 안 하거든.

자네한테 왜 이런 얘길 하고 있지?

당분간 거리엔 얼씬도 하지 마. 주방위군은 자네를 체포하라는 명령을 받고 온 거야-- 생포할 수 없다면 죽여서라도.

다시 보긴 어려울지도 모르겠군…. 고마웠네.

우린 최선을 다했어.

SCRUNNCH

10분 뒤, 통행금지령이 시행됩니다. 전원 귀가하시기 바랍니다.

반복합니다. 곧 통금이 발령됩니다!

이봐, 저 위에 뭔가 움직이는 게--

BLAM BLAM

어디 말씀 이십니까? 총격이다!

멈춰! 도둑이야!

BLAM

꼼짝 마! 무기 버려.

잠깐, 그런 게 아니에요. 들어보세요!

저놈이 저한테 개조한 산탄총을 들이대고는 금전등록기를--

무기 버려. 당장!

울지 마, 나이샤! 너 주려고 콩도 가져왔단 말이야. 고구마도 있어.

아, 이런. 환장하겠네….

…하필이면 기저귀를 쏘냐. 나 원--.

SCHUNNK

--무차별적인 사격으로 최소 네 명의 거주민이 부상을 당했으며, 그중 두 명은 중상인 것으로 전해졌습니다.

한편, 시장과 주지사의 긴급 회동이 열리고 있는 시청 앞에는 현재 대규모 시위가 벌어지고--

CLIK

맞은편 건물에서 발생한 다섯 번째 총격 희생자는 비상계단에서 떨어져 사망했습니다.

좋은 아침입니다, 주인님. 아침 식사를--

브루스 주인님--?

제가 다 망쳤어요, 알프레드.

이번엔 정말이지…

…완벽하고 처참하게…

…망치고 말았어요.

그림자 챕터 2
SHADOWS
CHAPTER TWO
SAM HAMM writer JOE QUINONES artist & cover
LEONARDO ITO colorist CLAYTON COWLES letterer
MITCH GERADS variant cover ANDREW MARINO editor
BATMAN created by BOB KANE with BILL FINGER

어떤 원리로 동작하는 거지?

고유한 열 신호를 추적하는 거야. 저 벤치 쪽으로 던져 봐.

아야!

하. 내가 실수로 당신을 추적하도록 설정했나 봐.

"실수"라.

군에서 이런 물건을 손에 넣으려고 얼마나 지불할지 생각해 봤어? 특허검색부터 해 보는 게 좋겠는데--

이미 해 봤는데 성과가 없었어. 자, 다시 던져 봐.

아야야!

하나도 안 웃겨!

애정 어린 손길 수준이잖아. 기절 모드로 설정할 수도 있었다고.

한 번 더 해 볼래?

고맙지만 사양할게. 회담에 늦었거든.

그건 수백만 달러짜리 프로토타입이야. 누가 만들었는지는 몰라도--

--그만한 돈이 필요하지 않은 인물이란 뜻이지. 백만장자 말야.

어디로 갈까요, 덴트 씨?

이 택시, 번사이드까지 가나요?

번사이드 구경은 한 번도 안 시켜 준 거 알아?

나도 가 보고 싶어. 당신이 자란 동네니까.

나중에.

오늘은 아니야.

드레이크.

덴트 씨는 네 시쯤 도착할 거야. 차 정비 끝났어?

잔돈은?

그럼요. 어젯밤에 시내 정비소에서 부품을 구해다가--

샌드위치 두 개 사 먹었어요. 배가 고파서….

…나중에 8달러 갚을게요.

허구한 날 컴퓨터에 붙어 있네. 비디오 게임이라도 하는 거야?

아뇨. 오마하에 사는 사람이랑 대화 중이었어요. 버얼리 여사님 뷰익에 필요한 부품을 갖고 있거든요.

네브래스카 오마하?

네. 인적 네트워크를 구축하고 있어요. 코딩하는 방법만 알면…

…색인 가능한 데이터베이스도 만들 수 있을 텐데.

정비소들이 재고 목록을 온라인에 게시할 수 있게 하는 거죠. 애틀랜타에 사는 사람이 휴스턴 밖에서 부품을 조달해야 한다면? 짠. 소포로 받으면 돼요.

그거 괜찮은 아이디어네.

이제 문 닫아야겠다. 회담 시간 다 됐어.

하비!

조심해요, 제롬. 찌부될 뻔했잖아요.

드레이크도 있었구나. 마침 잘됐네.

저요?

오티스 씨한테 들었어. 자동차 부품에 관해서라면 도사라며? 조사할 부품들이 좀 있거든…. 뭐랄까, 좀 이색적인 모델에서 나온 건데.

기성 차량을 개조한 건지, 완전히 맞춤형으로 제작한 녀석인지 알고 싶어서 말야.

이색적이라.

덴트 씨, 죄송하지만 도움은 못 드릴 것 같네요.

내가 뭐 실수라도 했어, 드레이크?

당신은 경찰이잖아요, 덴트 씨. 물론 훌륭한 경찰이겠지만요.

그래도 경찰은 경찰이에요.

하비?

의원들이 도착했어.

방금 피해자 한 명이 병원에서 사망했습니다. 이제 사망자 둘에 고아가 하나예요.

통제가 필요해요. 네, 물론 시민들은 분노를 표출할 권리가 있습니다. 하지만 시위는 평화롭게 이루어져야 해요. 어떠한 경우에도 폭력은 안 됩니다--

맡겨 둬요.

--연방 경찰들은 날뛸 구실이 생기기만 벼르고 있으니까.

오히려 우리한테 유리할 수도 있어요. 만약--

헛소리 집어 치워요, 하비 덴트.

배트맨 모가지를 창끝에 매달려고 안달인 다 알아요. 주지사 저택까지 들고 갈 요량이겠죠.

하지만 이런 식으로 상황을 복잡하게 만들면…

…다치는 건 당신과 당신의 돈 많은 백인 친구들이 아니에요. 웨인 가문과 슈렉 가문이 아니라고요.

바로 우리죠.

그러니 "우리에게" 유리하다는 소리는 말아요-- --당신에게만 유리할 뿐이니까.

돕고 싶어요.

어떤 식으로든.

번사이드 공원.
그날 밤.

--그렇게 우리는 승리할 것입니다. 폭력과-- 불가항력을 통해서가 아니라,

오직 정의를 통해서 말입니다!

방위군을 방위하는 건 누구인가?

GOTHAM CITY PO

고담 총격 사건으 두 번째 사망자 발생

전 누구보다 잘 압니다. 40년 간 이 바닥을 구른 제 말을 믿으세요!

WOO! WOBO!

CLAP CLAP
CLAP CLAP
CLAP CLAP
CLAP CLAP

이제 진정한 정의의 사도이자-- 제 절친한 벗-- 지방검사 하비 덴트를 큰 박수로 맞아 주시기 바랍니다!

번사이드 주민 여러분. 오늘은 저 또한 한 명의 구성원으로서 이 자리에 섰습니다.

저 역시 이곳에서 나고 자랐습니다. 여기서 겨우 몇 블록 떨어진 볼티모어 거리에서 말입니다.

우린 모두 알고 있습니다. 고담이 양분되어 있다는 사실을--

--두 세계를 모두 겪어 본 제가 바로 그 증인입니다.

네 네 네 어쩌고 저쩌고

안녕하세요, 신사분들. 번사이드엔 무슨 일로?

문제가 생기지 않도록 순찰을 돌고 있지.

당신들이 만들지만 않으면 안 생길걸요.

우린 문제를 만드는 게 아니라 없애려고 온 거야.

물론 그러시겠죠. 즐거운 시간 되시길.

배트맨들.

뭐 저런 건방진 놈이 다 있어?

와, 미친. 저거 봤어?

게임스테이션이야.

떡하니 전시해 놨네.

싸구려 자물쇠잖아. 1분이면 풀 수 있겠어!

지금 뭐 하는 거야? 거리가 온통--

경찰들이라고? 이봐, 우린 그들 편이야.

이건 약탈자들이 벌인 짓이고. 우리가 현장을 덮친 거지!

CRAAS

홀로 빈 가게를
털고 있었--

WHAKK

끄으윽

안 들리는데.
뭐라고?

홀로 빈 가게를--

WHAKK

끄으으으으

알았어, 알았어.
그만하면 됐어.

우리 도움 없이도
잘 해결한 것 같네.

이놈들은
어쩌면 좋지?

원한다면 경찰한테 끌고 가서 넘기던가.
아니면…

…저쪽에
쓰레기통이
하나 있어. 걸쇠가
있을 거야.

고마워.

알아서 잘 할 테니
따라갈 필요는
없겠지?

너희 둘. 여기서
뷰챔프 씨 가게 좀
봐 줄래?

난 이만.

대체
누굴까?

아까 그 박쥐
아저씨가 로빈이라고
불렀던 것 같은데.

로빈?

응,
로빈 후드처럼.

어휴,
이 바보야!
홀로 빈 가게를
털고 있었다고
한 거잖아.

아….

…그게
더 말이
되네.

어디에 두면
될까요?

어디에 두냐니...
뭘 말입니까?

동전이에요.
거대한 페니예요.

브루스 웨인 씨
되시죠?

아뇨. 저는
웨인 씨가 아니고--

그분이
주문하신 페니예요.
여기로
배달시키셨어요.

그래서, 어디에
두면 되나요?

--이는 어젯밤 논란의
불씨가 된 고담시 지방검사
하비 덴트의 파격적인 연설에
따른 것으로 보입니다.

다음은 비교적 가벼운
소식입니다. 경찰이
쓰레기통에서 배트맨
복장을 한 네 명의 남성을
발견했다고 밝혔습니다.

시위대나
반-시위대가 코스튬을
즐겨 입는 이유는 뭘까요?
KNAX TV의 Q 박사님께
물어봤습니다.

레슬리, 가면은
익명성을 제공해요.
그리고 익명성은
자유를 주죠.

가면을 쓰면 책임으로부터 도망칠 수 있어요.
은밀한 욕망을 표출할 수 있게 되니까--

--평소에는 상상도
못할 일들을 마음껏
벌이는 거죠.

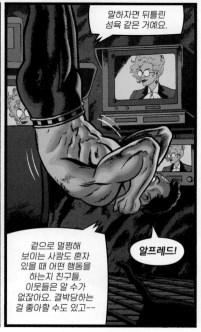

말하자면 뒤틀린
성욕 같은 거예요.

겉으로 멀쩡해
보이는 사람도 혼자
있을 때 어떤 행동을
하는지 친구들,
이웃들은 알 수가
없잖아요. 결박당하는
걸 좋아할 수도 있고--

알프레드!

방송 4사 모두?

선데이 쇼에 나와 달래. 사무실엔 대형 신문사들의 약력 요청이 쇄도했고.

사람들의 마음을 움직이는 훌륭한 연설이었으니까.

그 자리에서 즉흥적으로 나온 거야.

"뭐라고 표현해야 할지 모르겠어. 청중들을 내려다보는데…"

"…모두 아는 얼굴이더라고. 그들이 어떻게 살아왔는지도 알고."

"집에 온 것 같은 느낌이었어."

"마침내 내가 누군지 기억해 낸 듯한 기분이었지."

"그래서 그들에게 말했어."

"연설문은 던져 버리고, 내 가슴속에 있는 진심을 말야."

"반절 정도는 기억도 안 나."

참 희한한 일이지. 이놈의 커리어 걱정을 처음으로 내려놨더니…

…오히려 기회의 문이 열리고 있잖아. 그것도 사방에서.

나도 현장에서 봤다면 좋았을 텐데.

이해해 줄 거라 믿어. 그럼 때문인 거 알잖아.

그러니까 당신 말은, 내가…

당신이 경찰의 딸이라서야.

덴트 씨! 덴트 씨!

시장 직에 출마하신다는 게 사실입니까?

시장이라뇨? 누가 그런 소릴--

어딜 가나 다들 그 얘기뿐인데요--

--당 지도부가 회의를 열었다던데--

잠깐. 잠깐만요! 저도 고다마이트예요. 해결해야 할 문제들이 산더미인데 그런 걸 신경 쓸--

어이, 저명하신 덴트 씨.

두 얼굴의 망할 자식.

지금 뭐 하자는 거야, 하비? 이게 뭔 짓거리냐고!

난 고든을 등지고 널 비호했어. 경찰서 사람들 모두에게 널 영업했다고.

"범죄척결. 원리원칙. 하비만 믿으세요…."

…배은망덕도 유분수지, 이따위로 우릴 엿 먹여? 불평등. 편향적 정의. 공포 속에서 자라나는 아이들.

그것들이 뭘 뜻하는 은어인지 우리가 모를 것 같아?

은어?

난 평생 양쪽 세계의 은어를 혼용하며 살아 왔어. 이건 은어가 아니야.

명백하고 자명한 진실이지.

그래서 네가 알아듣지 못하는 거야.

덴트 씨!

대가를 치르게 될 거다, 덴트. 반드시.

지금 두 분 사이에 오간 언쟁은 뭐죠?

경찰과 마찰을 빚고 있는 겁니까?

경찰과 제가요? 그럴 리가요.

방금은 저 친구가… 자신의 양심과 마찰을 빚은 겁니다.

나 왔어, 리즈. 별일 없지?

전화하셔야 할 곳이 총 마흔여섯 군데예요.

집무실에는 손님 한 분이 진을 치고 계시고요.

브루스?

하비. 어젯밤에 자네가 한 연설 봤어.

반발이 거셀 것 같던데.

그 얘기 하려고 여기까지 온 거야?

칭찬이었으니 오해하지 마.

실은, 어… 나한테 정신 나간 아이디어가 하나 있는데 말야.

쓰레기통에
갇힌 것도 모자라 이런
치욕을 당하다니!

뭘 좋다고
쪼개고 있어?
넌 그날 나오지도
않았잖아!

아, 지각하긴 했지만
나도 나갔었다고.

그래서 볼 수
있었던 거야. 그 자식이
너희를 두들겨
패고 나서--

못 참아.

참아선
안 돼!

--집으로
돌아가는 모습을…
어쩌다 보니
따라가게 됐고.

덕분에 정확히
알게 됐지….

"…놈이 사는
곳을 말이야."

…고담 주립대학교 4년치 학자금을
지원하겠다는 겁니까?

네.

학생이
희망한다면
무역이나
기술학교도
상관없고요.

정확히 언제까지 이 지원
프로그램을 이어갈 생각이신가요?

하비가 전한
이야기를 내가
제대로 이해한 건지
모르겠군요.

그러니까, 당신이
번사이드 지구에 사는
모든 학생들에게…

제 돈이 바닥날
때까지는 계속
할 겁니다.

그러니 아직
한참 남았다고
볼 수 있겠죠.

실례지만,
웨인 씨…

왜 갑자기 번사이드에
관심을 갖는 겁니까?

하비의 연설 때문에요.
두 개의 고담이 공생하고
있다는 말이 제 심금을
울렸거든요.

잠깐. 아이 이름은 언제 공개한 거야?

나이샤 버로우스? 공개한 적 없는데.

그럼 대체 그걸 브루스가 어떻게--

하비. 차 세워!

맙소사.

정비소야.

어떻게 된 거죠?

망할 소방차들은 어디 있어요?

번사이드에 온 걸 환영해요, 하비.

제발. 제발. 보내 줘요!

이거 놔요, 컬프! 난 가야--

오티스, 관둬요. 그러다 죽으면 무슨 소용이 있겠어요.

드레이크가 안에 있어.

정비소 위층이 그 아이 방이란 말이야.

한숨 잔다고 올라갔는데--

하비…?

사랑해. 금방 돌아올게.

하비!

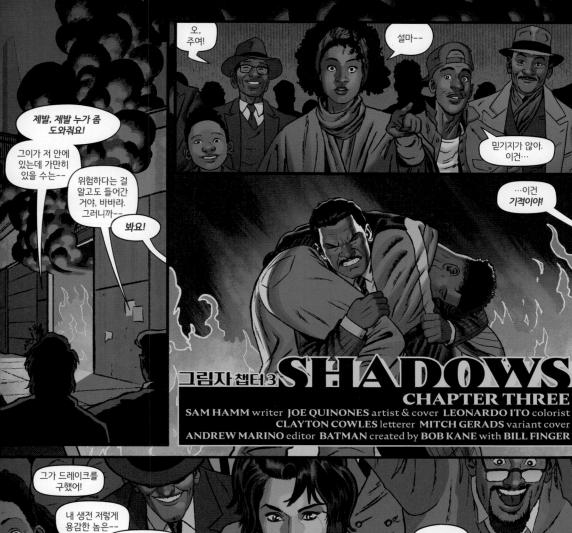

제발, 제발 누가 좀 도와줘요!

그이가 저 안에 있는데 가만히 있을 수는--

위험하다는 걸 알고도 들어간 거야, 바바라. 그러니까--

봐요!

오, 주여!

설마--

믿기지가 않아. 이건…

…이건 기적이야!

SHADOWS
그림자 챕터 3

CHAPTER THREE

SAM HAMM writer **JOE QUINONES** artist & cover **LEONARDO ITO** colorist
CLAYTON COWLES letterer **MITCH GERADS** variant cover
ANDREW MARINO editor **BATMAN** created by **BOB KANE** with **BILL FINGER**

그가 드레이크를 구했어!

내 생전 저렇게 용감한 놈은--

이런 게 진짜 영웅이지!

하비!

세상에, 하비, 난 당신이… 당신이 못 나올 줄만 알았어.

돌아올 거라고 했잖아.

너무 세게 안지는 마. 온몸이 재투성이야!

…덴트 씨….

…제가 당신을 오해했나 봐요.

목숨을 구해 주셔서 감사합니다.

내 슬로건 알잖아, 드레이크. 나만 믿어!

인정할게, 하비-- 자네처럼 배짱 좋은 친구는 처음 봤어.

됐어, 브루스. 자네였어도 똑같이 행동했을 거야.

내가? 당치도 않은 소리.

아, 이렇게 반가울 수가.

이제야 소방서에서도 들르기로 한 모양이네.

Gotham Globe

덴트의 불꽃

고담시 지방검사의 목숨 건 구출 작전

메트로폴리스 상공에 UFO 출현 신고 다발

--고담시에서 하비 덴트의 날을 축하하는 퍼레이드가 열리고 있습니다. 시장은 그의 용기와 희생정신을 기리기 위해 도시의 열쇠 상징을 수여하는 한편--

--성추문에 휘말린 현 주지사가 금일, 재선 포기 의사를 밝혔습니다. 이에 따라 현재 국가적 관심을 받고 있는 고담시 지방검사 하비 덴트가 가장 유력한 후보로 부상했으며--

--가 "드래프트 하비 덴트"에 합류하게 될 마지막 스타로 뽑혔습니다!

다음 소식입니다. 장기간 경찰청장으로 재임한 제임스 고든이 금일, 불신임 투표 직후 사임했습니다--

하비, 자네 득표수가 천장을 뚫을 기세야. 이쯤 되면 선거는 형식적인 의례에 불과하다고 봐도 과언이 아니라고.

극우파, 급진 좌파, 남성, 여성, 젊은이, 노인, 흑인, 백인. 번사이드에… 브루스 웨인까지 챙겼으니까.

상대 진영에서도 자네를 찍겠다는 사람이 46퍼센트나 돼.

대체 뭘 더 바라는 건가?

내가 당신들에게 바라는 건 단 하나예요. 내 말을 명심하는 것….

…난 당신들한테 빚진 거 없어요.

난 여기 사업을 하러 온 게 아닙니다. 옳은 일을 하러 온 거지.

1년 뒤.

덴트 주지사님? 고든 청장님 오셨습니다.

고마워, 리즈. 청장님이라면 언제나 환영이지.

덴트 주지사님.

고든 청장님. 수요일인데 어쩐 일로 북부까지 오셨나요?

첫째, 당신이 보고 싶어서 주말까지 기다릴 수가 없더라고.

둘째, 번사이드 계획에 진척이 있다는 소식을 전해 주려고. 구시가가 환골탈태하고 있어. 이제 당신도 못 알아볼걸?

하지만 그보다 더 중대한 소식이 있어.

중대한 소식?

그건 바로…

…브루스 웨인의 자백이야.

당신이 예상했던 대로, "배트맨"은 소규모 용병단이었어. 브루스가 자금과 기술력을 대고 있었고.

그의 말에 따르면 자신과 우리 아빠보다 훨씬 높은 곳에서 시작됐대. 무려 시장과 의회 절반이 가담했다는 거야. 고담의 모든 거물급 인사들!

이런 말도 했어…. 당신이 있었다면… "배트맨" 따위는 필요하지 않았을 거라고.

그 사람, 어딘가 이상한 구석이 있다니까.

그럴 수밖에. 집사 손에 길러진 친구잖아.

그래도 선의에서 기인한 행동이었을 거야. 우리가 형량을 줄여 줄 수 있었으면 좋겠군….

그래서, 거물이 될래?

아니면 부랑자가 될래?

제롬? 갑자기 어디서 나타난 거예요?

오티스 씨라고 불러라지, 인석아. 존중 받길 원한다면 존중할 줄도 알아야 하는 거야.

바바라는 어디 갔어요?

이제 괜찮아요. 고마워요.

〈흐윽〈 숨 쉬기가 힘들어요…. 여긴 어디죠…?

맙소사! 〈꿀꺽〈

바바라?

바바라? 연설을 해야 하는데….

오, 이런.

…가엾은 것….

내가 사망의 음침한 골짜기로 다닐지라도…

으아아아악!

엄마, 저 사람--

보지 마, 아가. 보면 안 돼!

하비! 신이시여. 하비, 안 돼!

안 돼애애!

바바라?

생각해 보니까
아무래도 제가
범인들을 본 것 같아요.

몇 명이 거리를
달리고 있었거든요.
저쪽 모퉁이를
돌았어요.

잠깐.
알아볼 수
있겠어?

글쎄요.
너무 높은 곳이긴
했는데….

…그래도
거리는 꽤
잘 보였어요.

숨을 못 쉬겠어….
코, 목… 전부
따가워….

버티셔야 합니다,
덴트 씨. 진정제를 놔 드릴게요.

환자 잠들었습니다.
무전 보내 주세요.
삽관이 필요할 겁니다.

3분에서 5분 정도면
도착할 거라고 하세요.

저기요. 전 경찰이니까
솔직하게 말씀해 주세요….

…살 확률이
얼마나 되죠?

감사합니다.

우선 지금 가장 위험한 건
폐부종이에요. 네 시간 동안
버틸 수 있으면 괜찮을 겁니다.

그 뒤는 단언할 수 없어요.
연기를 깊이 들이마셨다면
6개월 정도 남았다고 보시면 됩니다.

웨인 씨!

웨인 씨, 잠깐 이야기 좀 나눌 수 있을까요--

브루스 웨인?

잠깐. 지금… 그 갑부 말씀하시는 거예요?

맞아요. 그 젊은이가 일말의 망설임도 없이 불길과 연기 속으로 뛰어들었어요.

여기 드레이크도요. 두 사람이 아니었으면 하비 덴트는 이미 이 세상 사람이--

고담 가제트의 로잘리 킴입니다. 웨인 씨, 영웅이 된 기분이 어떠신가요?

이봐요, 영웅이라니… 난 그저… 노 코멘트하겠습니다.

그냥 찰나의 객기였어요. 아시겠어요? 다신 이런 짓 안 할 거라고요!

아, 제발 좀! 사진 찍히는 거 싫어한단 말입니다. 필름 내놔요, 그렇지 않으면--

안녕하십니까, 웨인 씨.

하비 불럭 경위입니다. 실례지만… 번사이드에서는 대체 뭘 하고 계셨던 거죠?

개인적인 일이었어요. 경위님, 전 이제 컨퍼런스 콜에 참석해야 해요-- 취리히에 있는--

그거 안타깝게 됐군요. 당신 진술이 필요해서요.

가게 주인 되십니까?

그렇습니다. 경위님, 이건 방화 사건이에요. 드레이크가 지붕에서 범인들을 봤답니다.

사실이에요. 창문이 깨지는 소리가 들렸어요. 거리를 내려다보니 박쥐 옷을 입은 남자 넷이 달려가고 있더라고요.

얼굴이 보일 정도로 가까웠습니까?

당신은 모를 거야. 내가 얼마나 오랫동안 이 순간을 기다려 왔는지….

으으음 음. 흐음 으음 으으음.

뭐-- 뭐야--

그르르르르르르르

야아아아아아아아웅.

제가 단잠을 깨웠다면 죄송합니다. 좋은 꿈을 꾸고 계시는 것 같더군요.

고든 양께서 보내신 겁니다. 덴트 씨가 밤을 넘기셨다고 합니다. 의식도 간헐적으로 돌아온다는군요.

네, 오랜만에요. 웬 꽃이에요?

그거 다행이네요. 전--

알프레드. 제가 1면에 났어요.

브루스 웨인, 슈퍼히어로!

은둔 백만장자, 몸을 던져 고담시 지방검사 구출

--정문에 아직 철수하지 않은 기자들이 있거든요. 저들은 주인님께서 귀가하셨다는 사실을 아직 모릅니다.

참, 부재중이실 때 전화가 63통이나 왔습니다. 59통은 언론사, 한 통은 고든 청장 연락이었고 두 통은 주인님께 주지사 출마를 권유하는 전화였습니다.

그렇습니다. 그러니 남쪽으로 난 창문들은 피하시는 게 좋을 겁니다.

악몽이 따로 없네요. 내 집에서 나갈 수조차 없다니--

잠깐. 63통이라고 했잖아요. 합이 62통인데요.

하나는 드레이크 윈스턴 씨의 전화였습니다. 말하면 알 거라고 하시더군요.

셀리나가 방화범들 얼굴 긁어 놓은 얘기 했죠? 그게 제 짓인 줄 알아요.

이상한 일이군요.

카일 양 이야기가 나온 김에 한 가지…

…고양이는 안 찾아가신답니까?

저렇게 얌전한 녀석인데 뭘 그래요, 알프레드.

예, 주인님. 물론 그렇죠.

시내.

--고담 시내에서 실시간으로 전해 드립니다. 번사이드 방화 사건의 주범으로 기소된 용의자들이 방금 보석금을 지불하고 석방되었습니다--

과연 누가 피해자일까요?

제 의뢰인들은 번사이드를 통과했다는 이유만으로 일주일간 두 차례나 폭행과 모욕을 당하는 수모를 겪었습니다.

이젠 증거도-- 신뢰할 만한 증인도 없이-- 방화범이라는 누명까지 썼습니다. 이런 비상식적인 일이 어디 있습니까?!

고담시경을 상대로 수백만 달러 규모의 소송을 제기할 겁니다--

신이시여.

베키? 컬프 바꿔 줘요.

제 능력을 너무 과대평가 하시는군요, 청장님.

할 수 있는 일이 있는지 알아보죠. 하지만 누구에게나 한계란 게 있어요.

젠장! 그 자식들이 불태운 게 브루스 웨인이었다면 이미 가스실에 누워 있을 텐데.

오늘 밤에 온 도시가 불탈 거야.

--하지만 호흡기 손상 정도를 확인하기 전까진 재건 수술을 강행할 수 없습니다.

언제쯤 그 친구가 전용기에 타도 괜찮을까요?

브루스?

당신이 여기 어쩐 일이에요?

세계 최고의 성형외과 팀이 준비됐어요, 바바라. 문제는 하비가 스위스로 가야 한다는 건데--

브루스, 당신 미쳤어요?

우린 지극히 평범한 사람들이에요. 우리가 가진 보험으로는 택도--

하비와 당신은 평범한 사람들이 아니에요. 보험 같은 건 필요 없어요.

내가 있잖아요.

안 돼요. 그이가 절대로 용납 안 할 거예요…. 자존심 때문에.

우리가 그를 되찾아야 해요, 바바라.

가서 물어봐요.

하비!

당장 일어나, 이 게으름뱅이야.

뭐… 누구….

난 너야, 하비.

정확히는 다른 세계의 너지. 어젯밤에 잠깐 만났잖아.

Gotham Globe

브루스 웨인, 슈퍼히어로!

덴트의 불꽃

우리가 어떤 강의를 들은 적이 있는데-- 기억하려나?

양자 역학에 대한 강의였어. 모든 사건은 도출 가능한 두 가지 결과를 가져…. 그리고 두 결과가 모두 독립적으로 일어나면서 우주가 나뉘지. 현실이 가지를 치는 거야.

그래… 상자 속에 든 고양이가 어쩌고 하는…

말 같지도 않은 소리였지.

아니, 놀랍게도 모두 사실이야.

따라와. 너한테 보여 줄 게 있어.

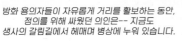
방화 용의자들이 자유롭게 거리를 활보하는 동안,
정의를 위해 싸웠던 의인은-- 지금도
생사의 갈림길에서 헤매며 병상에 누워 있습니다.

이제 우리가 그의
투쟁을 이어갈 것을
약속 드립니다….

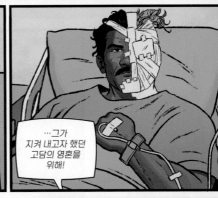
…그가
지켜 내고자 했던
고담의 영혼을
위해!

고담의 영혼….

엿이나
먹으라지.

하비 형제님은 사회 구조를 신뢰했고 우리 모두가 그 안에서 살아가야 한다고 말했습니다. 고장 난 부분이 있다면 고쳐서라도 말이죠.

하지만 그 이념이 결국 하비 덴트를 작금의 상황으로 몰아넣었습니다. 고칠 수 있는 시기는 지났어요. 밑바닥부터 갈아 치워야 합니다. 그게 이 행진의 목적입니다!

이만 실례하겠습니다. 이제 형제자매님들을 이끌고 시청으로 향할 겁니다. 전할 메시지가 있거든요.

시위대가 교차로에 도착하면 최전선은 안쪽으로 돌아. 2열 횡대로 인간 벽을 만드는 거야.

아무도 통과할 수 없게 해. 저항할 경우, 적절히 대응하도록.

경위님? 고든 청장님 무전입니다.

불럭! 자네 역할은 시위대가 안전하게 이동할 수 있는 통로를 만드는 거야. 경찰과 충돌이 발생해선 안 돼—

첩보가 들어왔어요, 청장님. 시위대에 시청을 노리는 과격분자들이 섞여 있대요.

다행히 아직 우리가 사전에 차단할 수 있어요.

불럭, 내 직접 명령에 불복한다면—

죄송해요, 청장님. 목소리가 끊기네요. 잡음이 너무 심해요.

몇 분 있다가 다시 쳐 볼게요.

이 구역은 출입통제입니다. 여덟 블록 뒤쪽에서 고속도로를 타고 우회하세요.

상황이 금세 과열될 겁니다.

감사합니다, 경관님. 훌륭한 제안이네요.

큰 도움이 됐어요.

시위대가 후퇴를 시도하면 뒤쪽에 대기하고 있는 장갑차들이 경로를 차단할 거야. 중간에 갇힌 꼴이 되는 거지.

철창 안에서 이틀 정도 보내고 나면 머리가 좀 식지 않겠어?

최전선. 위치로!

전투 경찰? 세실, 뭔가 잘못된 것 같은데요.

분명 청장님과 이야기를 나눴는데-- 진행 경로도 미리 일러뒀고 확언도 받았어요….

대열 유지! 한 명도 통과시키지 마!

경위님? 저 위에 뭐가 있는데요.

생긴 게 꼭…

뭔데?

…페인트 주머니 같습니다.

전진! 전--

제기랄. 누가 멀쩡한 확성기 좀 가져와!

저길 봐! 저 위에 누가 있어….

배트맨이다! 배트맨이 분명해!

조심해요!

아니, 배트맨이 아니야. 저건--

물러서!

이게 뭐지?

이건--

스프레이 캔이야.

스프레이 캔?

이걸로 우리가 뭘 어쩌라는--

으아아아! ≷허억≷

시야를 차단했다! 무기 뺏어!

≷아아아악≷ 물러나, 이--

그건 뭐야?

벨트.

아니! 벨트에 달린 거 말야.

잘… 모르겠어.

화염병이었습니다. 차량 두 대 모두 탈취당한 상황이고--

SCREECH

빌어먹을, 내 방독면은 어디 간 거야?!

경위님, 누가 온 것 같은데요.

축하해, 불럭.

자네는 방금 고담시경 창립 이래 최악의 실수를 저질렀어.

확성기 이리 내. 그걸 자네 뒷구멍에 쑤셔 박기 전에.

제임스 T. 고든 청장이다. 전 병력, 물러나라.

…뭐라고?

반복한다. 물러나!

행진은 계획대로 진행될 것이다.

이런, 이런.

이게 바로 우리 집에 들어온 대가야.

알겠어?

내.

집에서.

썩.

꺼져!

그림자 챕터 4
SHADOWS
CHAPTER FOUR
SAM HAMM writer
JOE QUINONES artist & cover
LEONARDO ITO colorist
CLAYTON COWLES letterer
BABS TARR variant cover
ANDREW MARINO editor
BATMAN created by BOB KANE
with BILL FINGER

알프레드, 페니가 아주 멋지네요.

고마워요.

별말씀을요. 기분이 나아지신 것 같아 다행입니다.

신문 가져왔습니다. 신원미상의 인물, 혹은 집단이 번사이드 지구에서 경찰 작전을 방해한 모양이더군요.

제가 한 게 아니에요.

전... 한참 떨어진 곳에 있었어요.

그럴 것 같았습니다. 보고에 따르면 조악한 수준의 기술을 사용했다고 하더군요.

안타깝게도 고든 청장이 비난 여론의 중심에 서서 뭇매를 맞고 있습니다. 시장이 오늘 그의 사임을 종용할 예정이라고 합니다.

유감스런 일이군요.

그렇죠.

전 이제 낮잠을 좀 자야겠어요.

그거 마이크로필름 이에요?

번사이드 배너 전집입니다-- 20세기 초부터 고담의 아프리카계 미국인 커뮤니티 소식을 다룬 주간지죠.

도서관에 가져가면 확인할 수 있게 허락해 줄까요?

한 가지 더 말씀 드릴 게 있습니다.... 윈스턴 씨의 이름이 어딘가 익숙해서 조사를 좀 해 봤습니다.

주인님께서도 보셔야 할 것 같습니다.

고담 주립대학의 기록 보관소에서 찾아냈습니다.

물론이죠. 주인님은... 그 도서관을 지은 분이시니까요.

안녕, 꼬마 친구.

키우는 녀석이야?

네, 옥상에서요. 제 로빈이에요.

이제 갈 시간이야.

잊지 마세요, 오티스 씨. 제가 돌아오지 않으면 어디로 갔는지 꼭 사람들한테 말씀해 주셔야 해요.

알았어.

비치된 음료는 마음껏 드셔도 됩니다.

감사합니다, 영감님.

윈스턴 씨, 저를 "영감님"이라고 부르실 필요는 없습니다.

저희 할머니랑 동년배 같으셔서요.

윈스턴 오토모티브에서 헌정 행사 개최

윈스턴, 크로스컨트리 운송 유한회사와 대형 계약 체결

음악이라도 틀어 드릴까요?

말씀은 감사하지만 그냥 제 믹스 테이프 들을게요, 영감님.

--EVERYBODY SAW MY FACE. I DIDN'T WEAR A MASK. YOU WANT TO KNOW MY NAME? JUST ASK!--

웨인 모터스, 윈스턴 오토모티브 강제 인수

신규 경영진, 공장 폐쇄 및 대규모 정리해고 루머 부정

"웨인 모터스"라.

전화로 할 얘기는 아닌 것 같아서 뵙자고 했어요….

웨인 씨… 폭력이 걷잡을 수 없이 번지고 있어요. 점점 악화될 거예요. 당신이 그걸 막을 수 있어요.

내가? 어떻게?

그 방화범들을 보셨잖아요. 가서 증언해 주세요. 놈들이 감옥에 가고… 정의가 구현되어야… 주민들도 조금은 진정할 거예요.

그럴 순 없어.

경찰에 이미 선서 진술을 했으니까--

하지만 거짓말이었죠. 복면을 쓰고 모퉁이를 돌아 그 얼간이들을 쫓으셨잖아요. 그리곤 그 네 놈을 때려눕히셨고요.

웨인 씨, 부탁이에요. 많은 게 걸려 있단 말이에요.

첫째, 넌 내가 그놈들을 때려눕히는 걸 보지 못했어. 사실이 아니니까.

둘째, 너도 선서 진술을 했어. 하지만 이런 얘기는 꺼내지도 않았지. 그러니 이제 와서 누가 네 말을--

뭐 때문에 망설이시는지 알 것 같아요. 하지만 저한테만큼은 진실을 들려주셔야 해요.

좋아, 그러지. 모퉁이를 돌아간 건 맞아…. 거기서 내가 본 건…

…캣우먼이었어.

캣우먼이 한 짓이야.

"캣우먼이 한 짓이야." 어이가 없어 헛웃음이 나네요. 캣우먼이라니!

거리에서도 얼토당토않은 소리라면 숱하게 들어왔지만, 나 참.

캣우먼이라니! 아하하하하!

진정해요. 멀쩡하니까.

그냥 물이거든요….

…배트맨.

꼼짝 마!

알프레드! 손님한테 테이저 건을 겨누면 안 되죠!

윈스턴 씨 좀 일으켜 줘요.

주인님…?

괜찮아요, 알프레드 씨. 비상계단에서 저한테 진 빚이 있으시거든요.

…비상계단?!

당신이 악명 높은 기저귀 도둑을 잡았던 날요. 기억해요?

기억하고말고.

간밤에 경찰들을 습격한 것도 너였어? 행진에서?

누군가는 해야 할 일이니까요.

알프레드. 접시 하나 더 내 와요.

오늘 저녁은 윈스턴 씨와 함께하도록 하죠.

고든 경사님? **컴퓨터 전문가가 왔어요.**

고마워요. 이 킷캣 바이러스 때문에 시스템이 전부 느려졌어요. 컴퓨터 절반은 켜지도 않고요.

표적 컴퓨터에 키스트로크 로거를 설치하는 새로운 버전이 나왔거든요.

이론적으로, 주 세 개 너머에 있는 해커가 당신이 입력하는 모든 키를 실시간으로 볼 수 있죠.

혹시 제가 드린 장기 서비스 계약 제안서는 고려해 보셨을까요…?

아! 그… 카일 양, 맞죠?

셀리나라고 불러 주세요. 복귀 축하드려요.

아뇨, 미안해요. 요 며칠 동안… 정신이 좀 없었거든요.

"리키 라인스 주식회사"라. 웃어서 미안해요. 업종과 어울리지 않는 이름 같아서--

저도 동감이에요. 경영진한테도 좀 말씀해 주세요.

레퍼런스가 훌륭하네요. 코완 그룹… 웨인테크! 저 브루스 웨인 알아요!

좋은 분이죠. 좀 이상한 구석이 있긴 하지만.

슈렉 엔터프라이즈에서 일을 시작하셨네요. 슈렉 씨에게 생긴 일은 정말 유감이에요….

바바라

아직도 매일같이 그 일을 떠올려요.

언젠가 범인을 잡을 수 있을까요?

수사 진행 상황이라도 좀 알려 주시면 정말 감사할 것 같은데--

고든 경사님? 죄송하지만 잠깐 뵐 수 있을까요?

실례할게요, 셀리나.

확답은 못 드리겠네요. 배트맨, 오스왈드 코블팟… 용의자는 많은데 유효한 물증이 없어요.

사라졌다고요?

그건 불가능해요.

병실에 없는 걸 확인했어. 그리고 누군가가 두 층 아래에서 잡역부를 기절시키고…

…1년치 진통제를 훔쳐서 달아났더군.

병원이 실수한 걸 수도 있잖아요. 설마 지금 그이를--

고든 경사, 솔직히 대답해 주게.

그에게서 연락을 받은 적이 있나?

아뇨! 그리고 그이라면 저한테 제일 먼저 연락 했을 거예요. 그러니까 분명 오해가--

경사님? 방금 경사님 댁 건물 관리인이 덴트로 추정되는 남성을 목격했답니다. 가지고 있던 열쇠로 문을 열고…

…얼굴을 가린 채 안으로 들어갔다고 합니다.

약혼자니까 자네 집 열쇠를 갖고 있는 건 당연하겠지.

덴트가 그 집에 두고 다니는 옷이나 돈이 있나?

네, 있어요. 죄송해요. 너무 당황스러워서 받아들이기가 쉽지 않네요.

미안해요, 카일 양. 공무 때문에 가 봐야 할 것 같아요.

전 신경 쓰지 마세요. 돌아오실 때까지 하드 드라이브나 스캔하고 있을게요.

띵!

이게 대체 무슨…

CLIKK

--여길 올 만큼 정신 나간 친구는 아니지만, 어쨌든 확인은 해야 하니까.

알겠습니다. 가실 때 문만 잘 잠가 주세요….

그러지. 다시 한번 고맙네.

아무도 없는 것 같은데요, 경위님.

안쪽에 있는 사무실 확인해 봐. 난 복도를 살펴볼 테니.

⧸띵⧸ 메일이 도착했습니다!

경위님? 컴퓨터가 켜져 있는데요….

경관.

WHAKKK

이런 맙소--

--사아아아아--

잠시 후.

벌써 한 시간째 이러고 있잖아. 대체 어디로 가는 거야?

너도 잘 알잖아.

설마 아직도 눈치 못 챈 거야?

번사이드에는 6천 명이 살고 있지만 전철역이 한 개도 없어. 주민들이 전철을 타려면 버스를 두 번이나 갈아타야 하지.

하지만 모두 달라질 수 있었어….

맙소사. 여기가 어딘지 알겠어.

그래, 왕년에 어울리던 친구들과 종종 내려와 추억을 쌓던 곳이지….

…커서 프로 딸랑이가 되기 전에 말이야.

우리의 새 사무실이야.

이 역은 우리를 일터, 상점가, 번화가와 도심으로 연결해 줄 예정이었어.

우리 미래와의 연결고리였다고.

그랬지, 예산이 고갈되기 전까지는. 그때 우리 미래도 함께 고사한 거야.

기억나.

우울해할 것 없어. 일주일 뒤면 모든 준비가 끝날 테니까. 친구들을 돕기 위해 필요한 것들….

…적들을 무너뜨리기 위해 필요한 것들….

…그제야 비로소 우리 둘 다 행복해질 거야.

감사합니다. 정말 맛있네요, 영감님.

계속 영감님이라고 부르실 필요는--

알아요, 영감님.

그래서, 정확히 어떻게… 날 알아본 거야?

그 아이 이름을 아시길래요. 나이샤요. 그것 말고도…

…특이한 습관을 갖고 계시더라고요. 긴장할 때마다 고개를 옆으로 기울이는 거요.

지금도 그러고 계시네요.

모두 눈치채고도 왜 날 신고하지 않았지?

처음엔 그러려고 했죠. 그런데 덴트 씨를 구하려고 저보다도 먼저 불타는 건물로 뛰어 들어가시는 걸 보고…

과오를 바로잡으려고 하신다는 걸 알았어요.

…어설픈 방식 이었지만.

있잖아요, 악당들을 겁주는 것도… 한 가지 이해 방법이긴 하죠. 이해해요. 하지만 한계가 있어요.

사람들에게 영감을 줘야 해요…. 자신들이 원하는 세상을 만들기 위해 스스로 일어날 수 있도록.

뭐, 철학적인 얘기는 나중에 천천히 하죠.

실은 자동차나 구경하러 온 거예요.

우와.

왠지 좀 찝찝한데요. 절 어디로 데려가시는 거예요?

지하 감옥. 널 쇠사슬로 묶어서 20년 동안 벽에 걸어 둘 거야….

…그래도 음식은 끝내줄 테니 걱정 마.

웨인 씨? 평범한 삶을 살고 싶었던 적은 없어요?

있었지. 가끔.

금세 지나가더군.

말했잖아요...
전 아무것도
몰라요...

변호사를...
불러 줘요.

변호사? 이런,
카프 씨...

...아직도 상황
파악이 안 되는
모양인데...

...난 지금
지방검사 자격으로
방문한 게 아니야.

그보다는...
장래의 고용주
정도로 보면
될 것 같군.

Judges

Corporate Heads

Elected Officials

Lincoln Savings
& Loan

넌 링컨 사건의
현행범으로 잡혔어.
형량으로 치면 적어도
몇 세기는 감방에서
보내야 해.

경찰이 널 풀어준 건
오로지 더 큰 물고기를
잡기 위해서였어.
물주들 말이야.

그런 사람들은 알지도 못했어요.
모든 단계가 중개인을 통해
이루어졌다고요.

처음부터
구린내가 나는
일거리였어요.

그렇잖아요.
무장 차량 두 대에
3천 백만 달러를 싣고
고속도로를 나란히
달린다고요?

이건 아주
털어 달라고
애원을 하는--

난 널 믿어, 카프!
한 번 그 돈을
훔쳤다면 두 번도
가능하겠지.

네 몫은
얼마였어?

딱 백만
달러요.

좋아요.
까짓 거. 두 배
혹은 공짜.

거금이군.
그래도 맞춰 줄게.

어떻게 할래--
두 배 혹은
공짜 어때?

제가 왜 공짜로
그런 일을--

CLKK

운이 좋군. 방금 백만 달러를 덤으로 번 거야.

좋아요, 알겠어요. 그런데 **"조커 갱"**이란 건 존재하지 않아요.

그 작자 부하들은 대부분 감옥에 있거나 죽었거든요.

"대신, 변장하고 깽판 치는 걸 좋아하는 소시오패스들이 모이는 서브컬처가 있어요."

냄새 한번 고약하네.

"대부분 허무주의자, 무정부주의자, 행위예술가들이죠. 주의 분산에 요긴하긴 한데 다른 쓸모는 없는 놈들이에요."

우릴 어디로 데려가는 거야?

몰라. 어쨌든 마음에 드는데.

네 윗사람들은 관심 없어. 난 네 아랫사람들이 필요해.

네 엔지니어, 폭파범… 그리고 그 광대 크루도.

젠장! 방금 쥐 밟았어.

거의 다 왔어. **계속 움직여.**

아니… **쥐를 밟았다니까?**

"그들 사이에 진짜배기 범죄자들이 섞여 있어요. 변장을 일종의 위장으로 사용하는 인간들이죠. 사람들은 광대 분장을 보면 쫄아서 다른 건 눈치를 못 채거든요."

"후자가 전자를 제대로 관리하도록 하는 게 관건이에요."

제군! 내 펜트하우스에 온 걸 환영한다.

…저 사람을 만나려고 여기까지 온 거야?

ㅇㅇㅇㅇ. 보고 있기 괴롭구만….

…계획은 이게 전부다. 잘되면 우리 모두 거금을 손에 쥐게 될 것이고…

…잘못되더라도 하룻밤 신나게 파괴를 즐길 수 있으니 어느 쪽이든 이득이지.

질문 있나?

하나 있는데….

…그 옷은 어디서 맞춘 거예요?

하하! 흐윽- 하하하하!

움직여, 이 양아치야.

경관님! 전 최대한 협조하고 있다고요!

그가 사랑한다고 전해 달래요. 곧 보게 될 거라고.

이봐.

글쎄 이 머저리 같은 놈이 내 눈앞에서 맥주 박스를 훔치려고 하더라니까.

반가워요, 여러분! 제가 맥주 쏩니다!

"지방검사 실종" 같은 소리 하네.

내 동생 친구가 병원에서 일하는데, 하비 덴트는 화재 이틀 뒤에 죽었대.

...직원들한테 단단히 입단속을 시켰다는 모양이야.

고생 많네.

모퉁이 좌판에 핫도그 두 개 결제해 놨어. 이따 가서 찾아가.

감사합니다, 경사님.

수고들 해.

예, 경사님.

바바라?

공무로 왔다.

당연히 아니죠. 전 경찰이에요, 아빠. 그랬다면 곧바로 보고했을 거예요.

저도 그이가 체포됐으면 좋겠어요. 도움이 필요한 사람이라고요. 진통제 중독인 데다, 얼굴엔 분명... 심각한 2차감염이 발생했을 거예요.

그거 여기서 불붙이면 엄마가 무덤을 박차고 나와서 아빠 목을 조를걸요.

담배는 안 들어 있어. 그냥 일종의... 애착 담요 같은 거야.

하비가 링컨 저축 대부 조합에 대해 언급한 적 없었어? 그 친구가 자기 사무실에서 훔친 서류들이--

훔쳐요? 전 그이가 적법하게 선출된 지방검사인 줄 알았는데요.

그야 그렇지. 내 말은--

재판과 판결. 사적 제재. 고담의 방식은 오직 그 둘뿐이에요. 그이 마음속 선의도, 그이가 받고 있는 고통도--

바바라--

나에 대해 네가 한 말 전부 사실이야.

난 원칙보다 편법을 택했어. 널 실망시켰지.

모두를 실망시켰어.

사직서를 내고 왔다. 월요일부터 유효해.

내가 네 기대에 부응할 수 있었다면 좋았을 텐데.

네가 경찰이 된 날은 내 생에 가장 자랑스러운 날이었단다.

너와 하비의 앞날이 무탈하길 진심으로 바라마. 이 바닥에서 이상주의자가 되는 건 쉽지 않은 일이지….

…좌절하고 무너지게 만드는 일이 다반사니까. 하지만 넌 다를지도 모르겠구나.

안녕, 우리 딸.

내 사랑--
공원. 우리가 만나면 곳.
목요일 밤 11시.
네가 나타나지 않는다면,
죽었다는 뜻이야. 사랑하는--
-- 하비

이제 저들이 지원을 요청할 거야. 그럼 우린 경찰 주파수를 띄워서--

잠시만요. 남쪽으로 가고 있어요.

우릴 버린 것 같은데요.

--본부로 복귀하라. 반복한다. 전원, 즉시 본부로 복귀하라!

무슨 일이 벌어지고 있는 거죠?

뭔진 몰라도 우리보다 심각한 일이겠지.

AA선.
고담 시내.

RMMMRRRMMMRRRRMMM

WHOOM

SCREEEEEEEEECH

질서를 지켜 한 분씩 열차에서 내려 주시기 바랍니다.

터널이 조금 무너진 것뿐이니 당황하지 마세요. 모두 안전하게 밖으로 모시겠습니다.

어떻게 된 거예요, 알프레드?

네 건의 폭발입니다, 주인님. 원인을 알 수 없는 폭발로 지하철 터널 네 곳이 붕괴됐습니다.

그런데 특이한 점이 있습니다. 각 붕괴 현장과 경찰 본부가 거의 동일한 거리에 있는 것 같습니다.

--경찰 본부에 가스 누출이 발생했다는 신고가 들어와 경관들을 비롯한 전 직원이 대피하고 있는 상황입니다. 라미레즈 반장님, 이 일이 지하철 붕괴 사고와 연관되어 있다고 보시나요?

단언할 수는 없죠. 아직 정보가 부족하니까--

--하지만 가능성은 있습니다. 지하철 터널이 경찰서 바로 아래를 지난다는 걸 고려하면, 아마--

반장님?

세상에! 누가 좀 도와줘요! 반장님이 총에 맞았어요!

전 대원! 엄폐하라! 몸을 낮춰!

밥. 웬디. 지금 저격수의 공격을 받고 있어요. 전--

방금 폭발 소리 들었어요?

진입 성공이다, 제군! 앞으로 10분간 이 경찰서는 너희의 것이다.

퍼져라. 즐겨라. 꿈을 펼쳐라. 내가 필요하면…

…증거물 보관실로 와라.

죽었을 수도 있겠죠. 우리도 몰라요. 아무것도 은폐한 적 없다니까요.

아래층에서 폭발이 일어났어요. 벽에 걸려 있던 사진이 다 떨어질 정도로...

--BEAT A *POLICE* OUT OF *SHAPE*...AND WHEN I'M *FINISHED*--

--AND WHEN I'M *FINISHED*, BRING THE *YELLOW TAPE*...TO TAPE OFF THE *SCENE* OF THE *SLAUGHTER*--

신이시여....

그를 찾으면 당신한테 제일 먼저 연락할게요.

이제 나도 이 빌어먹을 건물에서 좀 나갑시다.

고든?

가스관은 얼어 죽을 가스관. 이건 준군사 조직의 습격 작전이에요.

건물에 남은 사람은 이제 우리뿐일 거예요.

나갈 수 있을 때 나가....

...난 위로 올라가야 해.

당신을 부르는 것 같은데요.

그건 아직 준비가 안 됐다고 하지 않으셨어요?

그 말을 통역해 주지. 넌 아직 준비가 안 됐어.

무슨 일이 벌어지고 있는지 모르잖아. 네 목숨이 위험할 수도--

아아알프레에에드! 사이클이 필요해요!

그래. 나쁜 징조로군.

저격수는
찾았어?

세 명요.

알프레드!
신호 잡혔어요?

아직입니다,
주인님.

신호? 무슨
신호요?

마취 다트. 이렇게
생긴 물건이야.

덴트를 조준했는데
고든이 맞았어.

좋은 소식은,
그 안에 전자 추적 장치가
탑재되어 있다는 거야.

신호가 잡히지
않는 건 아직 지하에
있다는 뜻이고.

도시 전역에 감지 장치가
설치되어 있으니 지상으로 나오는
순간… 위치를 파악할 수 있어.

편지 왔니,
아가?

엄마, 말씀 드려도
못 믿으실 거예요--.

오티스 씨?
청구서에 사인해 주셔야
하는데….

오티스
씨?

요즘 사정이 좀 어려워서 그래요, 털리 씨.
이번 주 금요일까지만 말미를 주시면--

조지.
전화기 이리 내!

좋아. 경사가 놈을 잡았어!

수갑을 차는 순간, 들어가 제압한다.

지금 쏘면 확실히 맞힐 수 있어--.

안 돼. 무슨 짓이든 해도 좋지만 여자는 절대로 쏘지 말라고 했잖아.

지금 하비를 체포하면 고든은 영영 못 찾게 될 거야.

그럼 그는 죽은 목숨이나 마찬가지야.

당신 파티잖아요. 어쩌면 좋겠어요?

사랑해, 하비.

하지만 당신을 체포할 수밖에 없어.

바바라. 우리 둘 다 알고 있잖아. 그 어떤 우주에서도…

…당신은 그 방아쇠를 당기지 않으리라는 걸.

CLIK

오, 물론 죽이진 않을 거야.

하지만 도망치는 건 꿈도 못 꾸게 될걸.

그럼 이 얘기를 들려주는 수밖에 없겠군….

…내가 당신 아버지를 데리고 있어.

당신이--

--뭐라고?

SHADOWS 그림자 챕터 5

CHAPTER FIVE

SAM HAMM writer
JOE QUINONES artist & cover
LEONARDO ITO colorist
CLAYTON COWLES letterer

ADAM HUGHES
variant cover
ANDREW MARINO
editor
KATIE KUBERT
senior editor

BATMAN created
by **BOB KANE** with
BILL FINGER

말했잖아. 우리가 힘을 합치면 도시 전체가 우리 수중에 들어올 거라고. 그 가방만 있으면--

그럼 나보다 하비랑 사귀는 편이 빠르지 않을까?

하나도 안 웃겨, 브루스. 오랫동안 생각해 봤단 말야. 우리 사이에 대해…

나도 우리 사이에 대해 생각해. 매일.

웃기시네. 벌써 1년이나 됐잖아. 내가 죽었는지 살았는지도 몰랐으면서.

찾으려고 했어. 못 찾은 거야. 어쩌면 죽었을지도 모른다는 생각마저 들었어.

그러다 문득 깨달았지… 생사여부를 모르고 지낸다면… 적어도 당신이 살아 있을 확률이 50퍼센트는 된다는 걸.

그래서 찾는 걸 그만둔 거야. 그리고 당신이 이렇게 돌아왔지.

셀리나….

…평범한 삶을 살고 싶었던 적 없어?

--경찰청장 제임스 고든의 시신으로 확인되었습니다. 58세 일기로 세상을--

새로운 소식 있어?

경찰이 터널에서 당신 친구를 찾았어요.

앵커 아줌마 말로는 아무도 실종 사실을 몰랐대요.

맙소사. 바바라에게 전화해야겠군. 더 늦기 전에….

바바라, 가 보지 못해서 정말 미안해요. 지금 취리히에 있거든요….

제게… 참 친절하게 대해 주셨던 기억이 나요.

좋은 분이었어요.

우린… 언제든 자네 제안을 들을 준비가 되어 있어, 하비. 원하는 게 뭔지 말해 보라고.

그리 많지는 않아. 우선 내게 씌워진 모든 혐의를 철회해. 진행 중인 수사도 중단하고--.

하비, 그건 좀… 힘들 것 같은데.

힘들어도 해야 할 거야. 지금부터 너희 거머리들은 모두 내 꼭두각시니까. 시키는 대로 잔말 말고 해!

흥분하지 말자고! 돈을 원하는 거라면 자네도 끼워 줄게.

친구들, 미안하지만 지금부터 고담의 돈은 고담을 위해 쓰일 거야. 눈먼 돈 털어먹기는 이제 안녕이란 소리지.

무슨 생각 하는지 알아. 그러니 미리 경고해 둘게…. 혹여라도 내게 무슨 일이 생긴다면…

…너희를 묻어 버릴 증거들이 대중에게 공개될 거야. 유권자들과-- 연방정부가-- 너희 침실 파트너까지 알게 되겠지….

네 몫은 얼마야, 팔코네? 뇌물을 세탁해 주고 얼마나 챙겨 왔지?

이봐, 흉물. 여기 정치가 녀석들은 네놈을 두려워할지도 모르지--. 어차피 한철 피었다 지는 것들이니까--. 하지만 난? 난 상수야.

건축. 운송. 위생. 내가 없으면 이 도시는 마비되고 말아.

그 오랜 세월 날 쫓았던 너조차 내 털끝 하나 건드리지 못했어….

…너보다 똑똑한 변호사들이 날 보호하고 있으니까.

게다가 저 밖에는 네놈 골통을 부수고 싶어 안달이 난 부하 천 명이 대기하고 있다.

그러니 가서 여드름 연고나 사다 바르고--

지금 뭐 하는 거야?

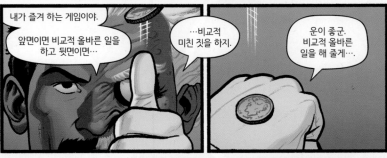

내가 즐겨 하는 게임이야. 앞면이면 비교적 올바른 일을 하고 뒷면이면…

…비교적 미친 짓을 하지.

운이 좋군. 비교적 올바른 일을 해 줄게….

BLAM

…고담시에 말이야!

맙소사! 하비!

제롬! 잘 지냈어요? 오랜만이에요.

리모델링 잘됐네요.

혹시 내가 보낸 자그마한… 소포 받았어요?

받았지. 50만 달러를 어디서 구한 거야, 하비?

어, 제 후원자들한테서요.

브루스 웨인 재단 아시죠?

토마스와 마사 웨인 재단이겠지. 거짓말을 할 거면 제대로라도 해.

번사이드 전역에 훔친 돈을 뿌리고 있다는 거 알아. 대부분의 주민들은 너무 곤궁해서 돈의 출처조차 알려고 하지 않지만.

원래부터 시민들의 돈이었어요. 전 도둑맞은 돈을 도로 훔쳐왔을 뿐이에요.

로빈 후드나 마찬가지라고요!

네가 털었던 경찰서에 저격수들이 있었어.

군중을 향해 발포했지-- 널 위해 행진하던 사람들이었어.

그건… 그래야만 했어요. 마침내 진정한 힘을 손에 넣었어요. 이제 이 도시를 바꿀 수 있어요. 나아지게 할 수 있다고요.

처음엔 정말로 네가 이곳에 남겨 둔 사람들을 신경 쓰는 줄 알았다. 순진하고 어리석은 생각이었지….

절 보세요, 제롬. 제가 어떤 역경을 겪고 있는지 모르시겠어요?

피부가… 불타는 것 같아요. 곪고 악취가 나죠.

말할 때마다 아파요. 웃을 때도요. 숨만 쉬어도 아프다고요.

한때는 번사이드에서 제일가는 미남이었지. 네 미소에 껌뻑 죽는 아가씨들이 한둘이 아니었어.

그 얼굴이면 오르지 못할 나무가 없었을 거야.

하지만 세월에 관한 오래된 농담이 하나 있지….

…결국 얼굴은 본성을 따라가게 되어 있어.

이만 실례할게. 전화해야 할 곳이 있어서.

안 돼. 그냥 돌아가면 되잖아. 이렇게까지 할 필요 없어….

해야만 해.

컬프 목사님 좀 부탁합니다.

네 사람. 평생 동안… 네 사람만… 내게 온정을 베풀었어. 이렇게까지--

해야만 해.

기다릴게요….

신이시여. 어째서? 어째서 늘 이렇게 되고 마는 거지?

세실? 당신이 옳았어요. 공식 성명을 내야 할 것 같아요….

오티스 씨! 안에 계세요?

저한테 온 소포가 있다고 하셨죠?

저기요? 아무도 안--

오, 안 돼. 안 돼.

그 소포 열어 봐.

주니어 배트맨에게 10만 달러. 내 목숨을 구해 준 값이지.

후회되지 않아…?

덴트, 이게 끝나고 나면…

…흉측한 쪽이 오히려 잘생겨 보일 거야.

도와줘요!
누가 좀 도와주세요!

이런 세상에.
하비 덴트잖아!

서둘러!
덴트 씨가 위험에
빠졌나 봐!

잡아요! 이놈이 제롬을
쐈어요! 이놈이--

끄으으으익!

이 더러운
거짓말쟁이가--

저 자식 잡아.
오티스 씨를 쐈대!

꼼짝 마, 이
망할 놈의--

잠깐. 드레이크 윈스턴이잖아.
얘가 왜--

돈 때문이야.
바닥에
수천 달러가
흩뿌려져
있어….

사실이 아니에요.
저 인간 짓이라고요.
이거 놔요!

당신은 위인이에요, 덴트 씨.
돌아오셔서 기쁩니다.

운전하실 수
있겠어요?

그럼요.
고마워요.

경찰이 올 때까지
저놈 잘 잡아 두세요.

카마인 팔코네가 자동차
트렁크에서 발견됐어요….
제롬 오티스도 자기 정비소에서
총격을 당했고….

하비가 사람들을
죽이고 다니는
거예요.

아직 끝난 게
아닌 것 같습니다,
주인님.

무슨
뜻이죠?

방금 덴트 씨
연락을 받았습니다.
주인님을 뵙고
싶다는군요. 20분
뒤에 도착한다고
합니다.

준비할게요.
그리고 알프레드…
이번엔 개입하지
말아 줘요.

정확히 제 계획대로
흘러가야 해요.

브루스 웨인 씨. 꼴이 말이 아니구만.

아늑하고 근사한 동굴이네. 이곳에 무슨 일이라도 생기면 마음깨나 아프겠어.

사돈 남 말 하는군, 하비.

있잖아, 하비...

...그 마법 동전 좀 구경할 수 있을까? 운명을 결정짓는다는 물건 말야.

안 될 거 없지. 이제 너도 내 꼭두각시니까.

보디가드. 집행자. 암살자. 잡역부...

아참-- 네 보급형 사이드킥이 구속됐어. 오티스 씨를 봤나 봐.

아마 곧 풀려나겠지. 하지만 전투경찰들과 벌인 소동의 주인공이란 게 밝혀지면 교도소로 직행하게 될 거야.

경찰들이 이걸 발견하는 순간 너 역시 철창 신세를 면치 못할 테고. 만약 내가... 어떤 이유에서든-- 너보다 일찍 죽으면-- 그렇게 될 거야.

어때, 이제 좀... 협조하고 싶은 마음이 드나?

네 어뢰 노릇은 절대로 안 해, 하비. 끝까지 널 추격할 거야. 그게 싫다면 날 죽여야 할걸... 죽일 수 있다면 말이지.

지금 이 순간이야말로 다신 오지 않을 기회야.

원한다면야...

잠깐! 그 전에, 네게 동전의 이면을 보여 주지...

"...상황이 달리 흘러갔다면 이렇게 됐을 거야."

"넌 범죄 조직과 부패한 정치인들을 처단하기 위해 배트맨과 손을 잡았어."

"네가 진실에 너무 가까워지자, 놈들이 네 얼굴을 태워 버렸지. 하지만 넌 포기하지 않았어."

"먼저, 우린 네 얼굴을 고치고 건강을 회복시킬 거야. 그동안 난 악당들을 잡아들이고."

"넌 몇 달 정도 심리치료를 하고 난 후… 돌아와서 영웅 대접을 받게 돼."

"그때쯤이면 난… 은퇴했겠지."

"내가 가진 돈은 몽땅 네 주머니로 들어갈 거야. 우리가 함께 이 도시를 청소하는 거지… 올바른 방법으로."

"아니… 그러기엔 너무 멀리 와 버렸어. 이젠 돌이킬 수 없어…."

동전을 던져서 결정해.

어서, 하비. 네가 늘 되고자 했던 사람이 되는 거야!

KJINNNG

SNKKKK

이게 무슨--

셀리나?!

KLANNNGG

거짓말쟁이! 사기꾼--

안녕.

고마웠어.
전부 다.

브루스!
안 돼--

야옹아,
이리 온….

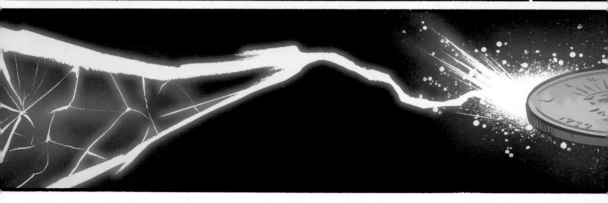

하비!

끄으아아아아앙!

내가
내려갈게.
버티고
있어.

괜찮아.
우리가
이겼어.

눈앞에 펼쳐진 것처럼
환하게 보여. 미래로 가는
길이. 우리에게 주어진
선택지들이….

갈비뼈가 부러져서… 끌어올릴 수가… 없어.

기다려. 케이블을 잡아….

여기.

끝부분에 갈고리가 있어. 잡아서 벨트에 끼워.

이제-- 이제 된 것 같아--.

잘했어! 이제 끌어올릴 테니까--

…너무나 아름다워!

우리가 노인이 됐어, 브루스. 친구가 됐어. 함께 변화를 만들어 냈어. 사람들의 삶이 나아졌어. 모두 행복해하고 있어!

그리고 바바라! 그녀가 날 용서했어!

두 개의 고담이 하나가 됐어….

…노력할 가치가 있었어. 사람들은 더 이상 우리를 필요로 하지 않아. 이제야…

거의 다 왔어.

이제야… 모든 걸…

SNAP

…놓을 수 있어….

그녀를 들여보낸 거예요?

저는 개입하지 말라고 지시하셨지만, 다른 사람에 대해서는 별 말씀 없으셔서--

나쁜 습관이에요, 알프레드.

그건… 고양이 목걸이 아닙니까?

마이크. 고양이에 줄곧 도청장치가 달려 있었던 거예요.

그래서 늘 완벽한 타이밍에 나타날 수 있었군….

덴트 씨의 총을 가져와 주셔서 감사해요. 덕분에 풀려났어요.

"익명 정보원"이 절벽 아래에서 꼬박 하루하고도 반나절을 뒤져서 찾아낸 거야.

이제 경찰들이 네 지문을 갖게 됐으니 지금부터는 장갑을 끼도록 해.

저한테 주신다던 게 설마 저거예요? 녹슨 자전거?

자. 열쇠가 필요할 거야.

열쇠요?

두 번 눌러 봐.

아, 이제 알겠어요. 홀로그램 이군요. 멋진데요!

필요한 게 있으면 말해, 드레이크. 내가 해 줄 수 있는 거라면 뭐든….

저기, 웨인 씨-- 지금 이 얘기를 꺼내는 게 적절할지 모르겠지만--

--그 아이 말이에요. 나이샤 버로우스.

얘기하지 않았던가? 천만 달러짜리 신탁 기금을 조성하고 있다고--.

실은 그게 문제예요, 웨인 씨. 그 아이에겐 아무도 없잖아요. 그 큰돈을 받게 되면… 친척, 친구, 이웃을 자칭하는 작자들이 튀어나올 거예요.

그녀가 커다란 돈 주머니로 보이겠죠.

당신이라면 그게 어떤 건지 잘 아실 거라 생각해요.

…내가 어떻게 했으면 좋겠어?

주 북부에 우리 누나가 살아요. 멀쩡한 직장에 다니는 남편을 만나서 결혼도 했는데… 아이가 안 생겼대요. 그래서 애들 둘을 입양했죠.

웨인 씨, 누나가 나이샤를 입양할 수 있게 된다면 그 아이는 평생 사랑 받으며 자랄 거예요. 평범한 삶을 살게 될 거예요….

…만약 20년 뒤에도 그 돈을 전달하고 싶으시다면--

--혹은, 당신 유언장에 그 아이 이름을 올리신다면…

…이번 일만 도와주시면, 맹세컨대-- 아이에게 진짜 이유를 발설하지 않을게요.

할 수 있는 일이 있는지 알아볼게.

고맙다, 드레이크. 함께 일해서 즐거웠어….

감사합니다, 웨인 씨.

브루스라고 불러.

드레이크… 이제부터 널 뭐라고 부르면 좋을까?

음… 당신은 박쥐를 좋아하고 저는 새를 좋아하니까… 이건 어떨까요….

…어벤징 이글.

"어벤징 이글"이라….

확정은 아니에요. 아직 고민 중이니까…

…나중에 알려드릴게요. 잘 지내요, 브루스!

고든 경사님께. 최근에 사랑하는 이들을 잃으신 것으로 압니다. 애도를 표합니다.

여기 서명해 주세요.

조만간 고인이 된 약혼자로부터 가공할 만한 위력을 지닌 증거들이 담긴 소포가 도착할 겁니다.

그것들은 불법적으로 수집된 증거이기에 법정에서 채택되지 않을 가능성이 높습니다--

하지만 저는 당신이 원하는 확실한 증거를 얻게 될지도 모를 사설통신망에 접속할 수 있습니다....

...덴트 씨가 맡았던 사건에 종지부를 찍을 증거 말입니다.

이 사건은 고담시 최고위층 인사들을 감옥으로 보낼 것입니다.

이제 당신은 결정해야 합니다. 그토록 강력한 이들을 적으로 돌릴 준비가 되었는지.

--이른바 "독수의 과실"이죠.

준비가 되셨다면, 기꺼이 당신을 돕겠습니다.

부디 저를 아군으로-- 안내자로-- 여겨 주셨으면 합니다. 제 욕심이라면, 더 나아가...

...조언자, 오라클로.

전 믿습니다. 우리 둘이 힘을 합친다면...

...머지않아 우리가 사랑하는 이 도시가 완전히 달라진 모습으로 다시 태어나리라는 것을.

시간이 흐른 뒤.

목욕할 시간이에요, 말썽꾸러기들! 아빠 안녕히 주무시라고 뽀뽀해 드리세요.

잘 자, 브루스 주니어.

잘 자, 티발리….

…잘 자, 나이샤.

할머니 할아버지도 보고 싶으면 서둘러야지!

주인님? 손님들께서 도착하셨습니다.

어머니! 아버지!

주인님?

주인님?

음-- 무슨--

자정에 깨워 달라고 하시지 않았습니까.

그랬죠…. 고마워요, 알프레드.

오늘도… 나가실 건가요?

아직 결정을 못 했어요. 오늘은…

KJINNNG

SHADOWS 그림자피날레

FINALE SAM HAMM writer JOE QUINONES artist & cover
LEONARDO ITO colorist CLAYTON COWLES letterer JULIAN TOTINO TEDESCO variant cover
ANDREW MARINO editor BATMAN created by BOB KANE with BILL FINGER

THE

BATMAN'89

SKETCHBOOK

DESIGNS BY
JOE QUINONES

BATMAN '89/
BRUCE WAYNE
J.Quinones '20

- COSTUME BLENDS
'89 + RETURNS
AESTHETICS W
BTAS.

- UNDERARMOR/
PLUGSUIT BRUCE
WEARS UNDER
COSTUME.

• BLENDING '89 W/
BTAS BRUCE
- STRONGER JAW
- FLATTER NOSE
- FULLER, WAVY
HAIR.

Robin '89 / Drake Winston

Customized
Rain Poncho

Customized
Mechanics
Jumpsuit

Extendable
Bo Staff

'R' Cut Off
Autobody Shop
Jumpsuit

90's Hip Hop Style
Leather Jacket.
'B' For Burnside?

CATWOMAN '89 / SELINA KYLE
— J.Q UINONES '20

SELINA PURPOSELY
HAS MARRED NEW
SUIT TO MARK HER
PREVIOUS '8 DEATHS'

NEW COSTUME
UTILIZES VINYL
SWIMSUIT STYLE
TOP W/ SLEEVES,
TIGHTS WORN
UNDERNEATH W/
VELVET MATERIAL
GLOVES & THIGH-HIGH
BOOTS.

SELINA
FORMAL
WEAR

HEAD SCARF,
'CAT EYE'
SUNGLASSES
AND FURRY
TIGER COAT
FOR INCOGNITO
LOOK

NEW
STRAIGHT
BOB HAIRCUT

WEARS HAIR
TIGHTENED/
PINNED BACK

CAT-THEMED
HAIR PIN

Two-Face '89/Harvey Dent
JG Jones '20

CHEMICALS
THAT MARRED
FACE HAVE
DYED HIS SKIN
TEAL

SPECIALTY BICENTENNIAL
SILVER DOLLAR/
DOUBLE-SIDED

1789 GOTHAM 1989

TWO SUITS
HASTILY STITCHED
TOGETHER

OPPOSITE SIDE OF
COIN DEFACED
BY HAND.

1789 GOTHAM 1989

ALFRED PENNYWORTH/ '89

COMMISSIONER
GORDON/'89
JQ/DMNNES

HARVEY
BULLOCK '89
JQ/DMNNES

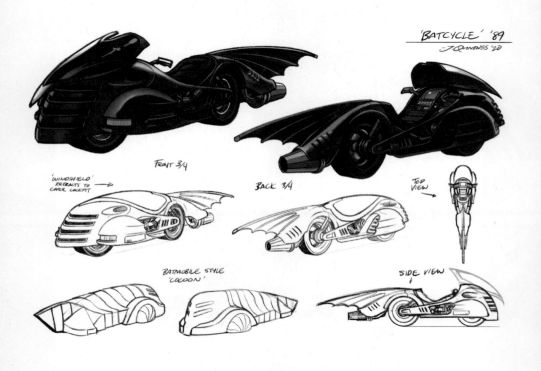

'BATCYCLE' '89
J. QUIÑONES '20

FRONT 3/4

'WINDSHIELD' RETRACTS TO COVER COCKPIT

BACK 3/4

TOP VIEW

BATMOBILE STYLE 'COCOON'

SIDE VIEW

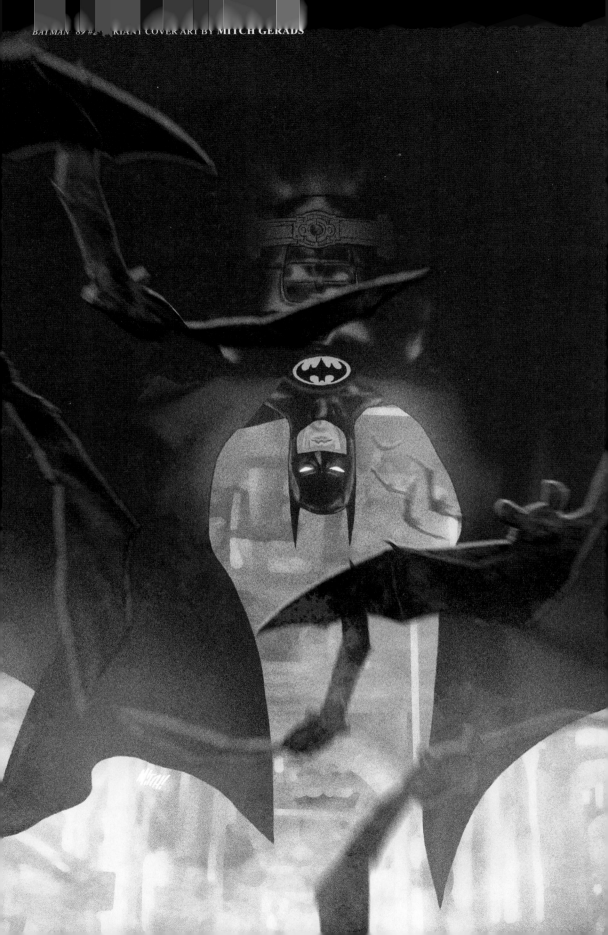

BATMAN '89 #3 VARIANT COVER ART BY LEE WEEKS

BATMAN '89 #6 VARIANT COVER ART BY **JULIAN TOTINO TEDESCO**